别让伤害靠近你

教孩子辨别、远离隐性伤害

不！我不喜欢这种话

遇到言语霸凌怎么办？

[美] 阿曼达·F. 多林 著　[美] 西蒙娜·希恩 绘　杨惠 译

中信出版集团 | 北京

写在前面的话

霸凌行为对施受双方都会产生不良的影响。想要制止霸凌，儿童和成人都需要认清什么是霸凌行为，并及时合理地去应对。

同学间常常互开玩笑或互唤绰号，若态度友好，则不失为乐趣。但是，骂人、羞辱和威胁都是言语霸凌的表现，绝不能纵容。

本书既适合孩子自己阅读，也适合家长读给孩子听。阅读本书时，请问问孩子是否曾目睹、遭遇或施行过言语霸凌，并鼓励孩子谈论自己的类似经历。比如问问孩子：你对凯西的遭遇有什么感想？如果有人对你说那样的话，你会怎么办？对于惯用言语霸凌的人，你有什么好办法？

踢足球是我最喜爱的运动。很小的时候，我就加入了一支足球队。当守门员的感觉真是棒极了。虽说我不是最好的球员，但我总是踢得兴高采烈——至少以前是这样。

今年，我们开始跟高年级学生踢球。他们大部分都很友好，除了达纳，他有时很讨厌！每次我踢得不好，他都会发火骂我。因此，在球场上我不再兴致勃勃，而是变得紧张兮兮。

今天早上，我们有一场球赛。热身时我耳边传来一个声音：“嗨，凯西！嘿，说你呢，呆头！”

又是达纳。我假装没听见，径自往球场跑去。

“喂，我跟你说话呢，胖子！”达纳说，“今天你最好别搞砸，我可要赢！”

“可……可这不是我一个人说了算的啊。”我说。

“可这不是我一个人说了算的啊。”达纳尖着嗓子没好气地学我。

“你最好别搞砸了，不然，等着瞧吧！”达纳威胁着，“嗖”的一下冲到我前面去了。

有种避免被人欺负的办法是启用“伙伴系统”，就是在容易受到欺负的地方和小伙伴待在一起。在小伙伴们受到欺负时，也要这样陪伴他们。

达纳的话让我忐忑不安，我甚至都没注意听巴恩斯教练说了什么。他正在布置队形，我又问了一遍，才知道自己的位置。

“记住我刚才说的，呆瓜！”达纳对我低声说，“别出差错！”

我强忍住泪水，点点头。我紧张得心都揪起来了，但不管怎样，我一定要好好踢。

比赛开始了，我的朋友里斯把球传给了我，我的心怦怦直跳，我要让达纳看看我的本事！可是，我还没来得及施展拳脚，对方球员就把球截走了！

“凯西，你真笨！”达纳一边跑去抢球，一边冲我咆哮。

对方进了一球，达纳又冲守门员喊道：“你跟凯西一样差劲！”

达纳的话在我耳边久久回响，也许我真的踢得太烂了，也许我压根儿就不该再踢球。

不断重复的辱骂是有杀伤力的，那些被辱骂的人会渐渐相信他们所听到的，即便那并不是真的。

　　比赛还剩五分钟时，轮到我守门了！目前的比分是一比一，我好紧张啊，有种想吐的感觉。

达纳和里斯将球踢进对方半场，可迟迟未能射门，比赛只剩两分钟了。

哦，不！对方截球成功，正冲我跑来！球员们左踢右挡，忽进忽退，我正看得眼花缭乱，只听“嗖”的一声，球从我的头顶飞过，进门了。口哨声响起，比赛结束，我们队输了。

输球就够惨了，但更惨的是，达纳一定会责怪我。

“干得好啊，蠢货！”等其他人离场后，达纳开始大声挖苦我，“凯西，你真是笨得够可以的！你哪是兔子啊，分明是只乌龟！”

我难过得哭了起来。我一哭，他更烦了，说：“哭有什么用，小屁孩儿！”然后，他嘴里“哇哇”地学着我，扬长而去。

大家都以为我是因为输了才哭鼻子的，其实我们并不是头一回输球，只不过以前从来没有人让我觉得，输球这么可怕。

挨欺负时，我们往往会害怕或哭泣，而这恰恰是欺负我们的人想要看到的，所以，如果我们能假装不难过，甚至能完全不以为意，他或许反倒会罢手。

巴恩斯教练说，我们球队配合得非常好。

其他队友也都很和气，但我能感觉到他们的失望。

里斯说：“凯西，这不是你的错，输球大家都有份儿。”

我抽着鼻子说：“但达纳说都怪我。”

“他那是欺负人，”里斯说，“你应该告诉巴恩斯教练。”

我摇头叹气道：“那样只会使事情变得更糟，我想我还是不踢球了吧。”

“可你喜欢足球啊！”里斯说，“我们一起踢球多开心。”

“现在不喜欢了。”我说。

挨欺负时，最好是告诉一位你信得过的大人，他能制止霸凌行为，并给每个人提供适当的帮助。

星期一，我实在不敢去练球，怕碰到达纳。我给爸爸打电话，说我不舒服。于是他过来接我回家，我也就不用去练球了。

星期三放学后，巴恩斯教练在走廊里找到了我。

他说：“凯西，听里斯说你不想踢球了？”

我点点头。

他接着又说：“里斯还说，是因为达纳欺负你了。”

我点点头，忍不住哭了起来。

“很抱歉凯西，我不知道有人欺负你，”巴恩斯教练用手臂环住我说，“踢球本该是快乐的，而队友们也本该相互支持。我保证以后不会再有这样的事了，好吗？”